Natália Zanardi Ortiz

Manual prático para organização do lar

1ª edição em junho de 2009 - Impresso no Brasil

Publisher: Antonio Cestaro
Editora: Alessandra J. Gelman Ruiz
Capa e Projeto Gráfico: Walter Cesar Godoy

Dados Internacionais de Catalogação na Publicação (CIP)
(Câmara Brasileira do Livro, SP , Brasil)

Ortiz, Natália Zanardi
Casa em ordem : manual prático para organização do lar / Natália Zanardi Ortiz. – São Paulo : Alaúde Editorial, 2009.

1. Conselhos práticos, fórmulas, truques etc. 2. Economia doméstica I. Título.

09-05694 CDD-640

Índices para catálogo sistemático:
1. Conselhos práticos : Economia doméstica 640
2. Donas-de-casa : Ensinamentos úteis : Economia doméstica 640
3. Truques : Economia doméstica 640

ISBN 978-85-7881-016-0

Rua Hildebrando Thomaz de Carvalho, 60
CEP 04012-120 - São Paulo - SP - Brasil
Fone:(11) 5572-9474 / 5579-6757
www.alaude.com.br
alaude@alaude.com.br

SUMÁRIO

INTRODUÇÃO

Se este manual foi parar em suas mãos, acredito que para você, caro leitor, a palavra *organização* tenha alguma ressonância. Porém, antes de qualquer coisa, desejo contar algumas experiências pelas quais eu passei, que farão este livro ter um sentido mais amplo.

Quando eu nasci, minha família morava num pequeno e simples sobrado geminado na região sul da cidade de São Paulo. Quando cheguei ao mundo, dividia um quarto com um irmão que já tinha um ano e meio de idade. Em apenas dez anos, acredite, eu já dividia meus pais com mais cinco irmãos!!! Essas exclamações representam exatamente o que meu coração sentia cada vez que meus pais chegavam com a novidade: "Querida, a mamãe está grávida!!!".

Por favor, não me leve a mal. Eu amo meus irmãos, e me sinto até um pouco mãe deles. O difícil não era dividir meus pais com tanta gente. Duro mesmo era dividir o espaço, ter de suportar bagunça, tênis, chulé, fralda, outro irmão que chegou, calcinha, o caçula, livros, pratos, lição de casa... Havia momentos em que eu não sabia bem em que ambiente eu estava na minha casa: o quarto? a sala?

Quatro meninos, duas meninas. Mesmo com seis filhos, meus pais estavam bem financeiramente, não deixavam nada faltar, e eu não tinha do que reclamar: tinha um quarto só para mim e para minha irmã (diferente do quarto dos quatro meninos, que era um caos!). Tínhamos uma condição favorável e desfrutávamos de espaço adequado para abrigar os oito membros daquela família, mais gato, tartaruga, passarinho e cachorros que iam e vinham. Porém, repentinamente, aquela família de oito membros perdeu um deles: o pai.

Hoje falo desse assunto com tranquilidade, mas na época foi traumático, em todos os sentidos. A perda do principal membro da família trouxe muitas consequências. Muitas mudanças aconteceram, como você pode imaginar, e principalmente mudança de casa. Fomos para lugares menores. Foi sofrido, foi difícil, mas fiquei especialista em fazer milagres em termos de espaço e organização!

Mesmo que se more em um local grande, corremos o risco de acumular mais coisas do que conseguimos acomodar e guardar, pois o espaço sempre tem seu limite. A principal questão é: como encaixar em lugares limitados tudo o que temos? Com minha experiência de vida, aprendi a rever conceitos e valores e analisar sempre: o que é realmente importante? O que é realmente necessário? O que é útil?

Acredite: organizar sua casa é possível. Tudo se aprende, tudo se conquista. Então, mãos a obra!

Capítulo 1

A NECESSIDADE DA ORGANIZAÇÃO

Costumo dizer que a organização pode se tornar a principal aliada de quem a conhece. Na verdade, muitas pessoas realmente não têm a menor ideia de como a vida melhora quando nos organizamos.

Se você olhar no dicionário, verá que organizar, entre outras coisas, significa arrumar, ordenar, estruturar-se, planejar a realização de algo, administrar o próprio tempo. Em outras palavras, arrumar pode significar melhorar de vida. Na realidade, a organização é uma postura de vida. Não é preciso ter "nascido uma pessoa organizada"; você pode aprender isso. Organizar sua casa, suas coisas, é um primeiro passo para organizar sua vida.

Organizar-se é também administrar o próprio tempo. E como diz aquele dito popular, tempo é dinheiro! Com a organização, conseguimos economizar tempo (além de dinheiro!), e com mais tempo, poderemos nos dedicar mais ao que nos dá prazer ou até mesmo descansar. Atualmente, as pessoas, principalmente as mulheres, trabalham o dia todo e ainda precisam cuidar da casa, da família, das compras, etc. Portanto, conseguir mais tempo é realmente uma boa coisa.

Hoje, nas grandes cidades principalmente, com o tempo escasso e o excesso de trabalho, surgiu uma nova profissão:

uma pessoa que vai até a casa das pessoas e organiza os ambientes, os armários, os papéis, os documentos, as fotos, os brinquedos, os livros, etc. Esse novo profissional tem um nome pomposo em inglês: *personal organizer*. É um serviço caro, mas surgiu de uma necessidade, que veio de muitas mudanças sociais e culturais que acontecem em quase todo o planeta.

Hoje, muito se fala em poder mental, na força do pensamento, em energia (das pessoas, da natureza, do ambiente, das cores, etc.). Muitos falam da importância do pensamento positivo, do otimismo, do bom humor. Mas como é possível se concentrar em bons pensamentos se, ao se levantar de manhã, perdemos meia hora procurando os óculos ou as chaves? E os que chegam atrasados no trabalho porque tiveram de dar "um pulinho" na mercearia do bairro para comprar coisas para a lancheira do filho, ou os ingredientes para preparar o jantar? E quando você não encontra a conta que vence hoje? E quando precisa lavar aquele monte de roupa e percebe que acabou o sabão em pó? Uma porção de coisas pode tirar seu bom humor logo de manhã, e, sem que você perceba, isso contamina o resto do seu dia. Além disso, gasta-se muita energia desnecessariamente procurando coisas, refazendo trabalhos, comprando de novo coisas que já se tinha... tudo por falta de planejamento. E por que será que temos o hábito de acumular roupas, objetos, revistas e tantas tranqueiras inúteis que temos o costume de ir guardando? Não devemos guardar nada sem utilidade, incluindo mágoas e rancores.

RECONHEÇA-SE

Antes de começar efetivamente a organizar qualquer coisa dentro de uma casa, é preciso fazer algo muito importante. É necessário conhecer e reconhecer os hábitos dos moradores da casa, ou melhor, da sua casa. É preciso avaliá-los e adequar a organização aos moradores e aos seus hábitos e rotinas. E mais: além de organizar algo, é preciso manter esse algo organizado, senão todo o trabalho inicial terá sido em vão.

Não existe uma única maneira de arrumar um determinado ambiente ou um armário. Pode acontecer de você arrumá-lo, ficar feliz com o resultado, mas não conseguir *manter*. Talvez fique muito complicado para você ou para os outros moradores da casa. Por isso, neste livro fornecerei sempre duas ou mais possibilidades de arrumação, para que você encontre a melhor opção para sua rotina, para sua casa e para sua vida.

A organização deve melhorar sua vida e não trazer mais problemas. Digo isso porque sei que muitos dos leitores não são solteiros ou pessoas que vivem sozinhas. Na maioria dos casos, dividem seus lares com marido, esposa, filhos, irmãos, amigos, etc. A função deste livro é trazer mais conforto e tranquilidade para sua vida, e não brigas e desavenças. Por isso, é importante que quem tomou a iniciativa da organização que ajude os outros membros da casa a encontrarem a melhor maneira de arrumar suas coisas e conseguir manter a organização.

É preciso reconhecer o que você precisa mudar e o que precisa adaptar. Por exemplo, há pessoas que chegam da rua e gostam de manter sua bolsa no armário, junto com as roupas, sapatos e objetos. O celular fica no escritório, as chaves ficam junto com todas as outras chaves perto da entrada da casa, ou seja, cada coisa tem seu lugar. Ótimo, se esse for um hábito para elas.

Mas se a pessoa é do tipo que chega em casa e quer despojar-se de tudo o que está em suas mãos, então larga a bolsa na mesa de jantar, que mais tarde vai parar em algum sofá, pois chegará a hora da refeição, o celular sai bolso quando ela vai ao banheiro e acaba esquecido em cima da pia, a chave de casa ou do carro... Onde ficou mesmo? Neste caso, há certa dificuldade em disciplinar-se e levar cada coisa para seu lugar.

O princípio básico da organização é: *tudo deve ter um lugar certo para ficar*. Todos os objetos precisam de um lugar previamente pensado e determinado, para que, depois de se ter caído na rotina, não se perca tempo pensando onde se deixou aquela "coisa". Por isso, é preciso encontrar lugar para tudo e adaptar-se ao hábito de deixar os objetos nos seus devidos e determinados lugares. Não precisa chegar em casa cansado e no mesmo momento levar cada coisa para seu lugar, mas é preciso que cada coisa tenha seu lugar certo e que fique sempre no mesmo lugar.

Não existem milagres para organizar um lar. Uma casa organizada requer um esforço inicial e dedicação ao longo do tempo. Mas lembre-se: *a organização melhora a vida*. Por isso, julgo muito importante e necessário que você se reconheça, saiba ver sua forma de agir e pensar, e então se organize com base nisso. E não se engane: largando tudo em qualquer lugar e dizendo que prefere assim, você vai perder tempo, dinheiro, bom humor e uma oportunidade de viver de forma mais simples, organizada e tranquila.

Capítulo 2

POR ONDE COMEÇAR?

Até para começar a se organizar, é necessário ordem e organização. Se você se encaixa no perfil daqueles que querem dar um jeito em *tudo* da casa, tenha calma! Vamos por partes. Não é da noite para o dia que tudo estará arrumado, e isso pode gerar frustração e fazer com que você desista antes de ver sua casa da maneira que deseja.

Comece com um planejamento. Pode começar pelo que é mais útil, ou pelo o que está mais fácil. E aqui já começa a aparecer a importância de fazer uma avaliação de si mesmo. Será que você está entre aqueles que querem ver resultados rápidos para ter estímulo de continuar? Então comece pelo que está mais fácil, talvez o banheiro ou a área de serviço. Mas se você acredita que não precisa desse estímulo, e tem um perfil bem prático, quer mesmo testar e ver se realmente estas dicas vão tornar sua vida mais agradável, escolha o ambiente que você mais usa, ou de que mais gosta, como a sala, a cozinha ou o quarto.

Os próximos capítulos tratam de cada ambiente de uma casa. Em cada um há as informações e as dicas para organizar os objetos e móveis de cada parte. Porém, a seguir, há dicas gerais que devem sempre ser seguidas, e que são importantes para a organização de um lar como um todo.

Princípios da organização

- *Organização facilita a vida.*
- *As coisas devem ter um lugar próprio.*
- *As coisas devem estar sempre no mesmo lugar.*
- *Itens do mesmo grupo devem ser armazenados juntos (todas as fotos juntas, todos os documentos juntos, etc.).*
- *Não acumule objetos e roupas que não são usados.*
- *Não compre por impulso coisas que não terão utilidade.*
- *Armazene todos os seus pertences de maneira lógica, para que fique fácil guardá-los quando não se precisa mais deles.*

SER OU PARECER

Existem duas situações que podem ser bem diferentes, mas que estão totalmente ligadas: *ser* organizado e *parecer* organizado. Ao longo de minha experiência com organização de ambientes, já notei que existem lares que parecem organizados, mas é só abrir armários e gavetas, ou fazer uma visita ao banheiro, e observar o dia a dia de quem mora ali, que veremos que essa casa somente *parece* organizada, mas não é.

Porém, ter uma casa que parece organizada pode ser muito bom quando de fato ela está em ordem. Você pode usar recursos que reforçam e demonstram que o ambiente está em ordem, e isso faz com que a família, e até mesmo as visitas, sintam conforto e aconchego naquele lar.

Dicas para ser organizado

- Dedique cinco minutos a mais para dobrar e guardar suas roupas. Com isso, metade de seu armário já estará arrumado.
- Guarde os jogos de lençóis e os jogos de toalhas juntos. Isso facilita na hora de pegar para colocar em uso.
- Reserve uma hora por semana para revisar seus documentos e contas.
- Crie o hábito de fazer um cardápio para as refeições e lancheiras dos filhos, que pode ser semanal, quinzenal ou mensal.
- Faça as compras no mercado, no açougue e na quitanda com base nos cardápios estabelecidos, o que ajudará a evitar desperdício.
- Se você é do tipo de pessoa desligada, esquecida ou com muitas preocupações, tenha o hábito de ter uma agenda, na qual deverá anotar não só os compromissos, mas os dias de fazer cardápio, de arrumar documentos, etc. Isso ajuda que novos hábitos se tornem uma rotina em sua vida.
- Planeje sua vida. É claro que não se deve ser rígido e prender-se a programações, pois sabemos que a vida é cheia de surpresas e imprevistos acontecem. Mas sinta que sua vida é realmente sua e está em suas mãos.
- Se há muitas coisas a fazer, escolha o que fazer primeiro. E, se começou, *termine*!
- Faça uma vistoria em todos os seus armários pelo menos uma vez ao ano, desfazendo-se do que está velho, de roupas que não servem mais, e de todos os pertences que não terão utilidade.
- Leve essa empreitada a sério. Vá até o final e coloque sua casa em odem.

Dicas para parecer organizado

- Uma casa cheirosa confunde o olhar! Tudo vai parecer ainda mais limpo e arrumado.
- Utilize produtos de limpeza com aromas agradáveis, incensos ou odorizantes de ambiente. Atualmente, existem no mercado vários tipos de perfumes e sistemas, e você pode encontrar o que mais se adapta à sua família. Na dúvida, procure perfumes de lavanda ou alecrim, pois costumam ser mais suaves, agradando a todos.
- Mantenha sachês perfumados nos armários de roupas de cama, mesa e banho. Uma toalha pode ser usada mais vezes e parecer ainda limpa quando está cheirosa.
- Sachês também são uma ótima solução para as sapateiras, estejam elas dentro ou fora dos armários.
- Tenha pelo menos um vaso com planta verde em sua sala. Se não houver espaço para uma planta grande, de chão, compre uma planta que faça vista e coloque em cima de algum móvel. Existem opções baratas, que são fáceis de serem cuidadas, e que dão a alegria e a leveza necessárias para o ambiente.
- Se quiser uma planta de vaso com água, pode adquirir a dracena. Ela é linda, existe em vários tamanhos, e para conservá-la basta trocar a água duas vezes por semana. Como opção de plantas em vasos com terra, que também vivem bem dentro de casa, há a palmeira areca ou a ráfis semente.
- Deixe sua casa o mais clara possível. Pinte as paredes com cores claras, deixe a iluminação boa, as janelas abertas. Faça o que for possível para que o ambiente seja bem iluminado.
- Lembre-se sempre: Você pode não ter tudo o que ama, mas ame tudo o que tem!

Plantas em casa deixam o ambiente aconchegante

Capítulo 3

ORGANIZANDO A SALA

Se você gosta de receber visitas, tenha algo muito importante em mente: sua sala é seu cartão de visitas. Mesmo que sua vida seja muito corrida, e sejam poucas as vezes em que haja gente em sua casa, é muito agradável para os moradores abrirem a porta e se depararem com um ambiente aconchegante, cheiroso e confortável.

Você não precisa ter móveis de revista e uma decoração de novela para se sentir bem em sua casa. Há algumas dicas básicas para que sua sala, além de organizada, torne-se mais agradável. Para começar, é importante lembrar que sala é sala! Sala não é quarto, cozinha, área de serviço ou outra coisa. Deixe sua sala sempre pronta e aconchegante, mesmo que seja apenas para você mesmo aproveitá-la.

O cantinho da chegada

Uma das dúvidas mais frequentes é onde deixar objetos que usamos durante o dia conosco, como chaves, bolsas e celulares. Para eles, você pode criar o "cantinho da sua chegada em casa". Coloque perto da porta de entrada da sua casa um aparador, uma mesinha, ou mesmo um espaço em algum móvel que você já tenha em sua casa. Faça desse espaço seu "cantinho de chegada" em casa. Deixe esse espaço sem enfeites, vazio, para você usá-lo assim que chegar. Deixe lá sua bolsa, suas chaves, seu celular, seus óculos. Se não for possível ter esse móvel, você pode usar alternativas que ocupem menos espaço, como suportes de parede. Você pode ter fixado na parede um porta-bolsa, um porta-chaves e até um porta-celulares. Procure uma tomada e deixe ligado constantemente seu carregador de celular. Quando você chegar, já coloque seu telefone celular para carregar, o que vai evitar que fique sem bateria durante o dia. Acredite, já existem pessoas que nem se lembram mais que bateria de celular pode acabar!

A estante

Se você possui uma estante na sala, procure não deixá-la entulhada de coisas. Isso causa poluição visual, dando impressão, mesmo que inconsciente, de que há bagunça no local. Se a estante tem muitos enfeites, fotos, vasos, e todos são muito estimados, procure fazer um rodízio. Isso, além de tornar o ambiente mais "limpo", fará com que tenha sempre "novidades" na sua sala. Escolha alguns e guarde outros. De tempos em tempos, troque-os.

Um vaso entre os livros deixa a estante organizada e charmosa

Livros

Se você possui livros, guarde-os em ordem alfabética, o que fará com que sempre seja possível encontrar um livro desejado, e não correr o risco de comprar duas vezes o mesmo título. Para conservá-los bem, limpe as extremidades das páginas com uma escova de dente de cerdas macias, e a capa com um pano macio. Se você tem muitos livros ou sua estante é pequena, para torná-la mais leve e charmosa acrescente, entre alguns volumes, ou mesmo na frente de outros, um vaso, um enfeite ou um porta-retrato.

Revistas

As revistas devem ser colocadas em revisteiros. Quando os revisteiros estiverem muito cheios, é sinal de que está na hora de algumas irem para o lixo.

Controles-remotos

O melhor lugar para os controles-remotos, por incrível que pareça, não é perto da TV, e sim perto do sofá, pois dessa maneira estarão sempre no mesmo lugar e à mão para usar. Deixe-os numa cestinha, num porta-controle-remoto de madeira, ou até de tecido, que fica apoiado no braço do sofá.

Os objetos das refeições

Se você guarda na sala o aparelho de jantar, o jogo de copos e outras coisas pertinentes às refeições, deixe-as, se possível, perto da mesa de jantar. Isso deixará tudo mais prático na hora da utilização. É muito importante saber avaliar o que é útil, para que se possa descartar todas as coisas que apenas estão ocupando espaço. Existem objetos que só usamos em ocasiões especiais, mas não precisamos guardar coisas que temos em grande quantidade e que acabarão nunca sendo usadas. Também é importante descartar coisas que estão quebradas. Por mais estimadas que sejam, não serão usadas e ocupam espaço desnecessariamente.

Armários, gavetas e caixas

Na sala, tudo deverá estar guardado dentro de armários ou gavetas, para que seja um ambiente fácil de manter arrumado. Uma boa opção para quem tem poucos armários é adquirir caixas decorativas que, além de deixar seus

Caixas são uma opção decorativa para guardar objetos da sala

pertences limpos e organizados, também dão um toque de beleza na casa. Costumo indicá-las para guardar fotos, CDs, DVDs e fitas de vídeo.

CDs, DVDs e fitas de vídeo

Os CDs, DVDs e as fitas de vídeo devem ser guardados longe da luz do sol para melhor conservação. Sempre guarde-os separados por gênero musical, e os títulos em ordem alfabética. Atenção aos seus vídeos: veja se realmente serão utilizados, já que hoje é muito comum que as pessoas possuam só DVDs. Nesse caso, você pode fazer uma doação a entidades carentes, que sempre dão utilidade aos objetos recebidos.

Ambiente claro

Se sua sala for um ambiente que recebe pouca luz do sol, utilize cor clara nas paredes, e de preferência nos móveis também. Isso tornará o ambiente mais amplo e alegre. Na sua sala, use e abuse das *dicas para parecer organizado*. Tenho certeza de que é um trabalho e um investimento que valem a pena, pois a alegria e o prazer de estar em uma sala em ordem atraem cada vez mais alegria e mais prazer para a casa!

Capítulo 4

ORGANIZANDO O QUARTO

Antes de começar a organizar o guarda-roupas, dê uma olhada geral no seu quarto. Tenha um criado-mudo ao lado de sua cama e coloque um porta-retrato. Assim, além da utilidade para apoiar copos, livros, telefone, etc., deixará seu quarto personalizado e aconchegante.

Se faltar espaço e você tiver o hábito de ler na cama, compre uma luminária de anexar na cabeceira da cama. Lembre-se: sua cama deve estar sempre arrumada. Tenha um mancebo ou cabideiro para não deixar nada jogado na hora de se vestir ou ao chegar tarde em casa. Caso não haja espaço, é possível utilizar ganchos que podem ser pendurados na parede ou atrás da porta. Mas cuide de guardar tudo o que estiver pendurado ao menos uma vez ao dia. Isso também será útil para pendurar roupas de festa, que não lavamos todas as vezes que usamos, mas que não devem ser guardadas logo que tiramos. Deixe-as arejando por algumas horas.

Cuide para que seu quarto seja claro e tenha a sua cara, pois esse é seu refúgio, o local em que você descansa e pensa na sua vida.

Ganchos e penduradores ajudam a não deixar as roupas jogadas pelo quarto

O ARMÁRIO DE ROUPAS

Arrumar o armário exige que você pare por um momento, concentre-se e faça as melhores escolhas. Sente-se e abra todas as portas. Faça uma avaliação. É preciso reconhecer se o problema é somente a desorganização, ou também a falta de espaço ou a má distribuição das coisas.

Doe o que não vai usar

Em primeiro lugar, você deverá verificar cada item, como roupa íntima, sapatos, calças, blusas, bolsas, cintos, calças, etc., e separar aquilo que não usa mais. Veja, não podemos analisar as roupas como analisamos os objetos de jantar. Uma roupa que não foi usada no período de um ano dificilmente será usada, a não ser, é claro, as roupas e os sapatos de festa. Seja exigente com você mesmo. A tendência é de nos apegarmos cada vez mais às coisas que guardamos por longo tempo. Uma dica para se desfazer é: se se passarem as quatro estações do ano e você olhar várias vezes para aquela camisa, experimentar, e acabar sempre optando por não usá-la, acredite, você comprou ou ganhou a peça de roupa mas não gostou. Desfaça-se dela!

Separe tudo o que não vai usar. Não se assuste com o tamanho da pilha de coisas para doação. Lembre-se que aprender a comprar também faz parte da organização. Analise bem tudo o que comprou e nunca usou. Observe e proponha-se a não fazer mais isso. Valorize seu dinheiro, e estará valorizando seu trabalho.

Limpe o espaço

Aproveite que seu armário deu uma esvaziada e passe um pano úmido seguido de outro seco. Essa é a maneira certa de limpar seu guarda-roupas; utilizar produtos pode deixar suas roupas com cheiro. Outra coisa: não utilize sachês de sabonete dentro das gavetas, pois atraem insetos! As naftalinas também já saíram de moda há muito tempo. Para evitar mofo e umidade, você pode comprar produtos antimofo próprios para guarda-roupas, ou mesmo colocar num cantinho do armário um saleiro cheio de bicarbonato de sódio. Quando o bicarbonato endurecer, mexa-o com um palito.

Os sachês são uma boa opção para manter seu armário agradável, mas procure utilizar aqueles feitos de manta acrílica ou gel específico para esse fim, e que também tenham perfumes suaves, pois os perfumes podem ficar impregnados na roupa, e, se forem fortes, vão se misturar com o cheiro de seu desodorante ou perfume, e isso pode ocasionar até uma dor de cabeça. Também não guarde roupa suja. Além de estragá-la, pode deixar cheiro nas roupas limpas.

Gravatas e cintos

As gravatas devem ser guardadas esticadas ou em cabides próprios, pois amassam com facilidade. Os cintos também podem estragar com o passar do tempo, se forem guardados enrolados. Pendure-os em suportes próprios. Para aproveitar espaço, utilize porta-cintos ou porta-gravatas presos à parte interna da porta de seu guarda roupa, para pendurar cintos, gravatas ou lingerie.

Miudezas e bijuterias

Miudezas como roupas íntimas, meias e bijuterias podem ficar em caixas ou em gavetas, de preferência as primeiras, para que se tenha uma boa visualização na hora

Joias e bijuterias podem ser organizadas em caixas de plástico ou madeira

da escolha. Utilize organizador de gavetas, e sempre encontrará com rapidez o que deseja, sem contar o bem-estar que dá ter seus pertences em ordem. Pertences como bijuterias, relógios, chaveiros, abotoaduras e prendedores de gravata devem estar em gavetas rasas com colméias (organizador de gaveta) ou em caixas.

Roupas de ginástica e uniformes

Tenha uma prateleira ou uma gaveta somente para roupas de ginástica ou uniformes, se você os usa. Isso facilita na hora de se vestir. Caso não tenha muito espaço disponível, pode guardar em rolinhos. Dobre as calças ao meio, coloque o cavalo para dentro, e então faça o rolinho. As camisetas devem ser dobradas normalmente e depois enroladas, deixando a gola para cima para identificá-las na hora de escolher.

Camisetas

E agora uma dica valiosa. O segredo dos armários bonitos e organizados é: estabeleça um critério de cor. Isso mesmo, guarde suas roupas sempre formando no seu armário um degradê. Essa é uma regra que pode ser usada para tudo! Suas camisetas também podem ser guardadas em prateleiras ou em gavetas seguindo o mesmo critério. Se houver necessidade de espaço, podem ser guardadas em rolinhos.

Shorts e bermudas

Shorts e bermudas devem ficar em uma gaveta ou prateleira, mas não se ajeitam bem em rolinhos. Devem ser dobrados ao meio e guardados com as etiquetas para a frente, para serem identificados com rapidez.

Pijamas, malhas e moletons

Geralmente, reservamos a última gaveta para os pijamas e camisolas. Malhas, moletons e camisas pólo devem ser guardados em prateleiras. Dependendo do espaço disponível, podem ser guardados em rolinhos. Vale a pena lembrar sempre: etiquetas à vista e em degradê de cores!

Guardar malhas e moletons em rolinhos na prateleria economiza espaço

Camisas, paletós e jaquetas

Para uma boa organização, você pode padronizar seus cabides. Esse é um investimento que vale a pena, pois dará a impressão de ordem e harmonia dentro de seu armário. As camisas devem ser penduradas em cabides seguindo o degradê de cores, de um lado as de manga longa e de outro as de manga curta, por cor. Paletós, jaquetas e casacos devem estar em cabides próprios para não deformarem o ombro.

Calças compridas

Guarde no máximo duas calças no mesmo cabide, pois dessa maneira você visualiza com clareza as peças, evitando esquecer algumas calças. Na falta de espaço para as roupas que são penduradas, guarde as calças jeans em rolinhos.

Vestidos e casacos longos

Para guardar vestidos ou casacões, reserve um espaço no seu armário com aproximadamente 140 a 160 centímetros de altura. Se isso não for possível, adquira capas para vestidos, pois, dessa maneira, mesmo que fiquem raspando numa prateleira, não vão acumular poeira.

Sapatos

Organize seus calçados em sapateiras, prateleiras ou cabides com suportes verticais. As peças mais delicadas ou pouco usadas podem ser guardadas em sacos de TNT (tecido não tecido) com visor, ou nas próprias caixas; nesse caso, lembre-se de etiquetá-las e fazer alguns furos para arejar. Se você não dispõe de espaço, pode ainda fazer prateleiras extras no seu armário para armazenar os sapatos. Passe um pano úmido em seus sapatos antes de guardá-los, e aproveite para usar sachês nesse espaço; isso evita qualquer possibilidade de mau cheiro.

Bolsas

As bolsas devem ser guardadas num mancebo ou numa prateleira, se possível em pé, para não perderem o formato.

Roupa de cama, mesa e banho

Se você não possui um armário só para seu enxoval (toalhas, lençóis, cobertores, mantas, etc.), separe dois ou três jogos para o uso diário e guarde o resto no maleiro. Lembre-se de fazer anualmente um rodízio, para evitar que as peças amarelem ou mofem.

Dica para falta de espaço

Se seu armário não acomodar tudo, pode guardar meias, roupas íntimas, bolsas e roupas pouco usadas, como casacões e vestidos de festa, em caixas ou em porta-edredons de plástico, e acomodá-los embaixo da cama ou no maleiro.

Lembre-se que na hora de arrumar seu guarda roupa, precisa pensar nele como um todo. Não adianta ir colocando de uma maneira que não será prática na hora de usar, pois assim, em poucos dias, a desordem estará presente novamente. Arrume com calma e clareza, e pense se vale à pena investir numa cômoda, numa sapateira, enfim, se vale a pena fazer investimentos se for necessário, para que seu dia a dia torne-se mais tranquilo e harmônico. Depois de tudo em ordem, arrume sua cama, coloque um cheiro bom, com incenso ou aromatizador, e curta seu pequeno refúgio, que a essa altura será um céu depois de um longo dia de trabalho.

Capítulo 5

ORGANIZANDO O QUARTO DE CRIANÇA

Essa é uma das áreas mais complicadas de uma casa. Por incrível que pareça, os baixinhos são os que mais acumulam pertences: roupas, uniformes, brinquedos, materiais, livros, bichinhos de pelúcia, etc.

Há duas opções de arrumação: a primeira é ter um quarto apenas para dormir e outro somente para brinquedos e deveres escolares. A segunda opção é organizar tudo num mesmo ambiente. Independentemente de qual seja sua escolha ou possibilidade, siga as recomendações que seguem, pois o princípio é o mesmo.

Primeiramente, observe o quarto como um todo. Nesse caso, é mais fácil torná-lo agradável e aconchegante só pelo fato de se tratar de crianças. Coloque um quadrinho na parede, uma almofada colorida na cama e um porta-retrato com aquele sorriso gostoso e pronto! Já está agradável.

Esse ambiente, mais que qualquer outro, deve ser claro e arejado. Cores fortes devem ser usadas com cautela, pois a criança costuma ter muita energia, e cores vibrantes podem atrapalhar o sono, deixando-as mais agitadas. Uma parede, um enfeite, detalhes coloridos não são problema e até dão um toque de alegria, mas cuidado para não exagerar.

As cortinas devem ser de materiais leves e fáceis de lavar. O piso também, de preferência que seja fácil de limpar. Se as crianças apresentam quadros alérgicos, evite os bichinhos de pelúcia. Procure separar o armário de roupas do armário de brinquedos, pois enquanto as crianças estão brincando e manuseando os brinquedos, podem estar suadas e com as mãos sujas, o que pode sujar ou deixar mau cheiro nas roupas.

Material escolar

Quanto aos materiais escolares, é muito importante que tenham um espaço reservado exclusivamente para eles. A disciplina no período escolar de um indivíduo começa em casa. É claro que temos de levar em consideração a personalidade, as tendência e as facilidades de cada um; no entanto, o cumprimento de deveres é importante para qualquer área de atuação. Um médico, uma professora, um artista, um vendedor, todos terão mais êxito em sua vida se aprenderem a reconhecer seus direitos e a cumprirem com seus deveres. E aqui vai nossa contribuição para o futuro do nosso planeta.

Vamos proporcionar às crianças um local organizado e agradável para estudar e fazer seus deveres. Procure ter uma escrivaninha para que façam suas lições de casa e estudem, de preferência com gavetas para que todo o material esteja guardado e bem conservado. Se isso não for possível e a mesa utilizada seja a da sala, não tem problema. Procure ter no armário mais próximo um espaço reservado para todo o material necessário.

É importante fazer uma lista de materiais que deverão estar disponíveis para a lição das crianças em casa. O ideal é que eles não mexam todos os dias no estojo da escola, que fica na mala, pois criança costuma ser avoada, e, dessa forma, estará correndo o risco de esquecer em casa lápis, cola, tesoura, ou mesmo o estojo inteiro. Faça-os criar o hábito de manter na mala o estojo deles, e semanalmente aproveite para, junto com seus filhos, dar uma verificada se está faltando alguma coisa ou se está precisando ser limpo. Dessa maneira, as crianças estarão adquirindo esse bom costume, até que um dia começarão a fazer isso sozinhas.

Materiais para lição em casa

- lápis grafite
- lápis de cor
- giz de cera
- canetinha
- tesoura sem ponta
- cola em bastão
- régua
- durex
- borracha
- apontador
- canetas
- papel sulfite
- caneta marca-texto

Uma maneira prática e bonita de manter os materiais de uso diário é utilizar-se de vasos de alumínio, comumente usados para colocar vasinhos de flores. Atualmente, podemos encontrá-los de várias cores e tamanhos. Deixe tudo de uma maneira prática para ser usado, e de forma que fique fácil guardar tudo depois que terminarem os deveres. No final de todos os anos, faça doações de todos os livros e materiais que não serão reaproveitados. Deixe tudo pronto e arrumado para receber os materiais novos.

Vasos de alumínio são ótimos para organizar o material da lição de casa

Brinquedos

Pare e pense. Quantos brinquedos estão guardados há mais de um ano que seu filho nem se lembra mais que existe? Quantos brinquedos já nem fazem mais parte do interesse da faixa etária em que estão? Comece uma seleção do que vai ficar e do que será doado. Por favor, não pense que você vai chegar para seu filho e dizer assim: "Meu filhinho querido, a mamãe vai dar esses brinquedinhos que você não brinca mais para outras criancinhas que vão ficar tão felizes!!!". Não pense que ele dará pulos de alegria, pois dificilmente será assim. Já existe na criança um apego às suas coisas, e mesmo que ela nem se lembre daquele objeto, pode ser que relute em dar. Você, certamente, vai encontrar a maneira mais adequada de se desfazer de brinquedos junto com seus filhos. Costumo dizer aos meus filhos, quando não querem desfazer-se de nada: "Puxa que pena! O Papai Noel não vai trazer nada, nem cabe aqui nesse armário!". E é verdade! É necessário espaço para se armazenar coisas novas.

Para armazenar brinquedos, podemos utilizar prateleiras, armários de aço, guarda-roupa ou caixas. Escolha o que mais se adapta à sua casa, e procure separá-los por tipo ou tamanho. Por exemplo, todos os carrinhos podem ficar numa gaveta ou numa caixa. Os jogos ficam em suas próprias caixas, empilhados da caixa maior para a menor. Roupas de boneca também, todas juntas. Procure deixar ao alcance das crianças aquilo com que elas mais brincam e que não apresenta perigo, pois crianças pequenas podem pegar pequenas pecinhas e levá-las à boca. Mesmo aproveitando prateleiras, as caixas, baús e cestas são ótimos para organizar os brinquedos, e as crianças aprendem a organizar suas coisas e a manter seu espaço em ordem.

Se seus filhos brincam com frequência sozinhos, ou seja, sem a supervisão de um adulto, é importante que se dê uma atenção especial à limpeza. Ao menos uma vez por semana, tire uma horinha para dar uma verificada se está tudo em ordem e limpo. Dependendo da idade das crianças, fica difícil exigir que elas próprias dobrem e guardem suas roupas; por isso, é muito útil ter no quarto delas um mancebo ou um cabideiro de parede e um cesto para roupas sujas. Você pode adquirir esses cestos de náilon facilmente dobráveis. Ensine seu filho a pendurar a roupa limpa e a jogar no cesto a que estiver suja. Lembre-se de colocar o cabideiro ou mancebo numa altura razoável para que seus filhos alcancem.

Armário de roupas

Para organizar o armário de roupas das crianças, siga os mesmos passos dados para o armário do quarto de adulto.

Colmeias e separadores ajudam a gaveta ficar em ordem

Lembre-se apenas de deixar todo o uniforme junto. Em caso de uniformes específicos para determinadas aulas, como, por exemplo, avental para aula de artes ou ciências, camiseta para educação física, etc., deixe junto com o resto do uniforme, pois isso facilitará na hora de se arrumar e evitará esquecimentos. No caso de um mesmo armário para mais de um filho, procure dividi-lo em partes diferentes para cada filho. Isso incentivará que cada um cuide do que é seu.

CDs e filmes

Se tiver aparelho de som no quarto, não esqueça de ter aí um porta CD, ou mesmo uma cestinha, para que os CDs não fiquem jogados. É muito comum os adolescentes ouvirem músicas e trocarem toda hora os CDs; portanto,

CDs e filmes podem ficar organizados em cestas plásticas

crie perto do som deles um local para armazená-los. Se todos aprenderem a colaborar, a manutenção da ordem fica muito mais fácil.

Capítulo 6

ORGANIZANDO O BANHEIRO

O banheiro, por ser um cômodo em que há intensa atividade, precisa de um plano muito bem elaborado para se manter organizado. Porém, antes de entrar na arrumação propriamente dita, quero fazer algumas observações sobre essa área da sua casa.

Em primeiro lugar, remédios, perfumes e sapatos não devem ser deixados no banheiro, pois se trata de um ambiente úmido e com fortes variações de temperatura, o que pode embolorar seus sapatos e alterar o conteúdo de seus remédios e perfumes. Procure deixar seu banheiro o mais arejado possível, pois tudo que fica exposto à umidade está propenso a proliferação de bactérias. O vaso sanitário deve estar sempre tampado, principalmente na hora da descarga, para evitar a contaminação do ambiente ou da própria pessoa. Tenha sempre no mínimo três rolos de papel higiênico no banheiro. Quando o rolo que está em uso acabar, já faça a reposição, para evitar situações desagradáveis. As escovas de dente devem estar sempre secas e tampadas, com protetores próprios ou dentro de armário, gaveta ou caixas plásticas.

Toalhas

Tenha sempre um suporte de pendurar toalhas de banho para cada pessoa que usa o banheiro, e se o ambiente for usado por três ou mais pessoas, tenha uma toalha de rosto para cada dois membros da família, para evitar que a toalha fique molhada e com mau cheiro, causando um aspecto de sujeira ao ambiente. Dependendo da circulação de ar no banheiro, as toalhas podem ser trocadas uma ou duas vezes na semana. Se as toalhas limpas são guardadas no próprio banheiro, mesmo estando dentro de um gabinete, evite deixá-las muito tempo sem serem usadas, pois isso as tornará úmidas e com mau cheiro. Faça um rodízio.

Box e pia

Sobre a organização, vamos começar pelo box. Use e abuse de suportes, mas lembre-se de manter dentro do box somente o que for usado diariamente. O ideal é que haja cestinhas individuais para cada um que usa o banheiro. Em

Cestas são úteis para organizar os objetos em cima da pia do banheiro

cima da pia, cada um terá sua cesta, com aquilo que for usado com frequência, como desodorante, utensílios para se barbear, hidratante, escova de cabelo, gel, etc. E, é claro, adquira cestas de tamanhos diferentes, pois com certeza as mulheres terão muito mais o que guardar! Caso não haja espaço em cima da pia, adquira prateleiras, suportes ou guarde no gabinete.

Maquiagem e cosméticos

As maquiagens devem estar em gavetas ou em caixas fechadas, pois a umidade do banheiro pode estragá-las. Fique atento à validade dos cremes e maquiagens, pois alguns produtos estragados podem causar alergias ou irritações. Um lembrete muito importante às mulheres: de tempos em tempos, dê uma olhada em todos os seus cremes, batons, xampus, condicionadores, etc., e jogue fora o que estiver vencido, ou doe o que tiver demais, pois existe uma atração fatal da maioria das mulheres pelos cosméticos, o que faz com que comprem sempre mais do que precisam. Portanto, fazendo uma inspeção nesses itens frequentemente, haverá a consciência de que muitas coisas você não precisa, e então evitará desperdício. Amostras grátis de cremes e perfumes devem ser experimentadas e então colocadas em uso ou doadas. Seja exigente com você e mantenha em seu banheiro somente aquilo que realmente será usado. Aquele batom comprado há um ano e nunca usado pode ser muito bem-vindo para alguém.

Tudo limpo e perfumado

Normalmente, perfumes perdem sua potência em três anos, e cremes e loções, depois de abertos, estão propensos à proliferação de bactérias em doze meses. Portanto, aquelas escovas de limpar vaso sanitário não devem ser mantidas no banheiro em hipótese alguma, pois podem causar contaminação. Os amaciantes concentrados deixam um perfume por tempo prolongado nas toalhas, o que proporciona a possibilidade de usá-las por mais vezes e com cheiro de toalha que acabou de ser lavada. E também ajuda a manter um aroma agradável no banheiro. Os tapetinhos, além de darem uma aparência agradável, ajudam a manter o chão sempre seco. E lembre-se de manter seu banheiro sempre limpo e perfumado.

Capítulo 7

ORGANIZANDO A COZINHA

Por maior que seja sua cozinha, posso afirmar que *não* há espaço para guardar tudo com perfeição! É incrível, mas quanto mais espaço se tem, mais coisas se acumula. E se você pertence ao grupo dos que curtem ir para a cozinha, nem que seja de vez em quando, posso perguntar sem medo de errar: quantos utensílios você já comprou e acabou nunca usando?

Novamente, temos de ser realistas. Se falta espaço, desfaça-se de tudo o que não é usado, que não tem utilidade. E, claro, deve-se lembrar do que foi dito sobre a organização da sala de jantar. Na cozinha há coisas que são utilizadas muito esporadicamente; no entanto, são pertences de valor. Mas não há necessidade de inúmeras peças para cumprir a mesma função. Seja exigente mais uma vez. A organização está ao alcance de todos, desde que haja empenho e modificação de rotina e valores.

Espaço agradável

A cozinha deve ser um local agradável, no qual cozinhamos, preparamos nossas refeições. Deve haver, além da limpeza, harmonia. Vamos deixar tudo de uma maneira bem prática para que você não se irrite na hora de cozinhar. Se esse for um ambiente muito pequeno, arrume uma maneira de deixá-lo bem claro. Isso dará a impressão de uma ampliação na cozinha.

Considero fundamental arranjar um espaço para colocar um enfeite. Um relógio de parede, um conjunto de potes bonitos, um baleiro, um quadrinho, seja o que for. Use sua criatividade e torne sua cozinha agradável. Quando cozinhamos, passamos nossa energia, nossos sentimentos para aquele alimento, e de alguma forma estaremos transmitindo isso para todos os que irão comer, inclusive nós mesmos. Uma opção simples e bonita é colocar macarrão cru, colorido, dentro de um pote e deixá-lo à vista. Ou então balas de goma. Solte sua imaginação.

Vasinhos de violeta ou dracena vivem bem na cozinha e podem ser uma ótima escolha para tornar o ambiente harmônico. Caso falte espaço para algum enfeite, coloque uma prateleira, mesmo que seja pequena ou de canto. Lembre-se apenas de verificar por onde passam os canos antes de instalá-la. Arrume um mural para colocar recados e cardápios, ou então compre ímãs e deixe-os afixados na geladeira. Esse também pode ser um bom local para deixar suas correspondências, caso não se adapte em deixá-las na sala. Crie um espaço para isso.

Remédios

Os remédios podem ser guardados na cozinha, e devem estar em um espaço de preferência numa prateleira alta, para evitar que crianças alcancem. Deixe-os todos dentro de uma caixa plástica. Quando precisar de um remédio, pegue a caixa e procure-o. Duas vezes por ano, certifique-se das datas de validade dos remédios, para evitar que, numa madrugada, alguém acorde com febre e o antitérmico esteja vencido.

Fruteira à vista

Uma fruteira à vista pode ser um bom hábito para estimular as crianças que não gostam de comer frutas. Invista em pelo menos um produto de limpeza com cheiro agradável, ou tenha um odorizador de ambiente para sua cozinha. O bom cheiro reforça o aspecto de limpeza. Tenha sempre pano de prato próximo à pia para evitar que se lave alguma coisa e saia com a mão pingando água pelo chão, pois, em seguida, pode entrar alguém, ou você mesmo acaba pisando, e seu piso começa a ficar com aspecto de sujeira. A cozinha não só deve estar sempre limpa como também deve parecer limpa.

O lixo

Hoje em dia, todos já temos o hábito de reciclar. Inclusive, isso já é exigência de alguns condomínios; portanto, deverá haver dois ou mais cestos de lixo, de acordo com o tipo de reciclagem que faz. Cole etiquetas adesivas pelo lado de fora, identificando o tipo de lixo, ou compre cestos de cores diferentes para que todos os membros da família possam seguir as regras de reciclagem. Observe tudo o que deve ser jogado no lixo orgânico, pois talvez aqueles lixinhos pequenos de deixar em cima da pia já não sejam mais a melhor opção. No entanto, se esse for o caso, deixe-o afastado dos alimentos, para evitar contaminação.

Temperos e panelas

Os temperos e as panelas devem estar próximos ao fogão. Pode-se utilizar um porta-tempero de parede, ou mesmo deixá-los numa cestinha ao lado do fogão, ou embaixo da pia, mas sempre juntos, para evitar a situação de estar cozinhando e não encontrar o que deseja, e então abrir uma unidade nova do que está precisando. O importante é que estejam bem fechados, para evitar atrair insetos ou que haja qualquer tipo de contaminação. Adquira vidros próprios para temperos ou mesmo reaproveite potes de geleias ou algo semelhante, mas é preciso que sejam vidros, pois os recipientes plásticos podem interferir no sabor do tempero.

Panelas devem estar sempre próximas ao fogão. Caso seu espaço seja limitado, empilhe as panelas separadas das tampas, com as mais usadas sempre na frente. Os recipientes plásticos devem ser guardados abertos, mesmo que estejam secos, pois esse tipo de material adquire cheiro. Os copos devem ser armazenados num lugar fácil de manusear, os menores na frente e os maiores atrás. Lembre-se que os copos de uso diário, independentemente do tamanho, devem ficar na frente. Copos de plástico, se forem empilhados, devem tomar um ar antes de serem usados, para evitar mau cheiro.

Talheres e gavetas

Observe todos os tipos de talheres que tem e então decida quantas gavetas serão necessárias e que tipo de divisória comprar. Meça suas gavetas, pois atualmente existem organizadores para gavetas de cozinha de vários tamanhos e tipos. Esse é um item que também considero fundamental. Gavetas com divisórias não é mais um luxo para poucos, mas sim uma necessidade para todos. Gavetas bem organizadas estarão sempre mais limpas e proporcionarão que se encontre com agilidade tudo de que se necessita. Isso fará com que no dia em que você receber aqueles amigos para jantar em sua casa, você poderá estar lá na sala e pedir à sua amiga que foi buscar algumas coisas na cozinha: "Por favor, você pode me trazer uma espátula de patê, com cabo verde, que está no fundo da segunda gaveta da esquerda?". Uau! Que controle!

É fundamental ter organizadores para as gavetas da cozinha

Você saberá onde está cada coisa da sua casa. Tenho certeza de que, para muitos, isso é algo quase inatingível; no entanto, agora está perto de acontecer. É possível.

Eletrodomésticos, pratos e travessas

Eletrodomésticos usados com frequência devem ficar em bancadas ou na pia, e os outros dentro de armários. Os pratos e travessas mais usados podem ser guardados juntos, para facilitar na hora de servir a refeição. O jogo de café da manhã também deverá estar todo junto. As xícaras podem ser empilhadas no máximo duas a duas.

Mantimentos

Os mantimentos devem ser guardados em potes de vidro ou alumínio, pois não absorvem calor, não interferem no sabor e não passam cheiro desagradável. Panos de prato ficam em gavetas ou prateleiras. Toalhas e jogos americanos podem estar na cozinha ou próximos da mesa em que se fazem as refeições. Você terá de observar o tamanho do local para armazenar alimentos e então decidir de quanto em quanto tempo fará suas compras, uma vez ao mês, na semana, etc. Sair todos os dias para pegar "uma coisinha" que está faltando, além de gastar tempo, cansa e faz com que esteja sempre comprando coisas a mais do que precisa, sem contar que para pegar meia dúzia de coisas, nem sempre vamos até o lugar mais barato; passamos na vendinha ao lado de casa ou no mercado mais próximo. Você já parou para fazer contas? É importante saber para aonde vai o dinheiro que ganhamos.

Geladeira

Que tal agora dar uma olhada na sua geladeira? Sim, afinal de contas, se ela estiver organizada, você gastará menos tempo com a porta aberta, e economizará luz. Você não corre o risco de abrir um pote de manteiga sendo que, lá no fundo, atrás de uma pilha de coisas, já havia um aberto. E também terá o prazer de abrir sua geladeira e ter a impressão de que está assistindo a um comercial de televisão!

Guarde os vegetais e frutas na gaveta de baixo, pois é o local menos refrigerado. Estipule uma prateleira para cada tipo de alimento: coisas para lanche e café da manhã, sobras de alimentos e sobremesas, bebidas, carnes e frios. O importante é que cada coisa tenha um lugar para ser armazenada. Depois de criado o hábito, em segundos encontra-se o que se quer e guarda-se o necessário. E lembre-se: deixe os alimentos sempre em recipientes fechados para evitar um cheiro desagradável na sua geladeira.

Compras e cardápios

O ideal é que não se compre leite para o mês todo, enlatados para 15 dias, açúcar e farináceos toda semana, etc. Isso, com certeza, fará com que compre o que já tem e perca alimentos que não foram usados dentro do prazo de validade. E muito importante: quando for guardar as compras feitas, coloque na frente o que já estava no armário, e o novo para trás. Organizar também pode ajudar a economizar.

É pertinente mencionar os cardápios. Tenha o costume de fazer cardápios de suas refeições e da lancheira das crianças, e fazer as compras baseadas no seu cardápio. Faça essa experiência e depois observe o quanto economizou. Não me refiro a cardápios elaborados. Isso não é um restaurante, é sua casa! Primeiramente, faça uma lista com tudo o que se costuma comer na sua casa; a seguir, distribua pelos dias da semana. Se quiser, elabore seu cardápio pensando no que poderá ser reaproveitado do almoço para o jantar. Por exemplo: se haverá salada nas duas refeições, lave tudo de uma vez só e poupará tempo à noite. Ou se comem feijão no almoço e no jantar, faça para o almoço uma quantidade que dê para as duas vezes.

Com o lanche das crianças, faça a mesma coisa: escreva do que gostam, distribua pelos dias da semana e compre de acordo com o que será consumido. Seu cardápio pode ser semanal, quinzenal ou mensal, como melhor se adaptar. A partir do cardápio, faça as listas de compras no mercado, açougue e quitanda. Você verá que maravilha é fazer a quitanda baseada num cardápio. No final da semana, nada terá ido para o lixo! No começo pode até ser difícil, mas com o tempo se adaptará, fazendo o cardápio e, em seguida, num instante, a lista de compras estará pronta. A seguir deixo um modelo de cardápio para ser preenchido, para as refeições e para o lanche das crianças, para ajudar você a se organizar e a organizar suas compras.

CARDÁPIO DAS REFEIÇÕES

		SEMANA DE ____/____ A ____/____
SEGUNDA-FEIRA	Café da manhã	
	Almoço	
	Jantar	
	Outros	
TERÇA-FEIRA	Café da manhã	
	Almoço	
	Jantar	
	Outros	
QUARTA-FEIRA	Café da manhã	
	Almoço	
	Jantar	
	Outros	
QUINTA-FEIRA	Café da manhã	
	Almoço	
	Jantar	
	Outros	
SEXTA-FEIRA	Café da manhã	
	Almoço	
	Jantar	
	Outros	
SÁBADO		
DOMINGO		

CARDÁPIO DAS LANCHEIRAS

		SEMANA DE ____/____ A ____/____
SEGUNDA-FEIRA	Filho 1	
	Filho 2	
TERÇA-FEIRA	Filho 1	
	Filho 2	
QUARTA-FEIRA	Filho 1	
	Filho 2	
QUINTA-FEIRA	Filho 1	
	Filho 2	
SEXTA-FEIRA	Filho 1	
	Filho 2	

Capítulo 8

ORGANIZANDO A ÁREA DE SERVIÇO

Normalmente, quem mora em apartamento possui uma área de serviço bem compacta, por isso, a importância de deixá-la em ordem. Mas mesmo quem mora em casa e tem um espaço um pouco maior, precisa organizar esse espaço cheio de itens e muito propenso à bagunça.

É fundamental ter um cesto para roupa suja e outro para roupas a serem passadas. Ao tirar as roupas do varal, certifique-se de que estão bem secas, pois roupas úmidas, além de mofarem, soltam um cheiro muito desagradável. Coloque-as no cesto dobradas, pois isso facilitará na hora de passar, além de amarrotá-las menos.

Os produtos de limpeza devem ser armazenados em prateleiras ou em armário, e nunca perto de alimentos. Produtos para lavar roupa devem estar próximos ao tanque e à máquina de lavar. Aproveite suportes de paredes para tudo o que for possível: vassouras, rodos, pás, escada, tábua de passar roupa e até o ferro. Crie um lugar para guardar o máximo que puder, pois na área de serviço circula muita água e coisas no chão dificultam muito na hora da limpeza.

Atualmente, existem armários próprios para a área de serviço que já têm lugar para tábua de passar, vassouras e afins, mas também há no mercado uma variedade enorme de suportes de parede. Observe tudo o que você tem. Veja o que caberá nos armários ou prateleiras, e então decida quais suportes comprará. Cabe relembrar: cuidado na hora de furar as paredes, certifique-se por onde passam os canos.

Capítulo 9

COMO ORGANIZAR DOCUMENTOS E PAPÉIS

Considero a organização de documentos e papéis de vital importância para a boa organização de um lar, a ponto de considerá-lo um capítulo à parte. Em meu trabalho, quando vou organizar a casa das pessoas, costumo começar por aí, deixando em ordem todos os documentos e papéis que existem na vida das pessoas.

Quantos casos você já ouviu falar de pessoas que perderam bens, que tiveram de arcar com dívidas que não eram suas ou que foram ludibriadas por não terem em ordem suas contas e documentos? Ou até mesmo você, nunca teve de pagar multas e juros absurdos por atrasar o pagamento de contas, apenas por não ter tudo muito bem organizado?

Não me refiro somente ao armazenamento, mas também ao planejamento de gastos. É claro que precisamos começar com o armazenamento, e então, com tudo a nossa frente, sob nosso controle, podemos planejar como e com o que gastar.

Primeiro, junte todos os seus papéis e documentos. Escolha um local da casa em que haja uma mesa para começar o trabalho. Se você acha que não terminará no mesmo dia, e que essa mesa terá de ser usada para outras coisas, tenha em mãos uma caixa para guardar tudo enquanto essa mesa estiver ocupada. Você precisará dos seguintes materiais:

- durex
- grampeador
- caneta
- pasta tipo registrador com plásticos
- plásticos com furos
- etiquetas adesivas
- pasta sanfonada
- arquivo com pasta suspensa tipo maleta ou de acrílico
- caixas
- arquivo morto
- caneta para escrever em CD

Veja dessa lista o que precisará comprar e lembre-se de que pode ser que você tenha em sua casa coisas que podem ser aproveitadas e substituídas pelas sugestões dadas. Também considero que é interessante que veja os sites indicados no capítulo *Onde encontrar*, para que verifique o que estou sugerindo, pois muitos materiais não têm o mesmo nome em lojas diferentes, o que pode fazer com que você procure por algo em uma loja e o vendedor não saiba do que se trata. Indico sempre materiais comuns, que podem ser encontrados em muitos lugares, mas os nomes nem sempre são conhecidos.

O segundo passo é separar todos os papéis de sua casa em pilhas, da seguinte maneira:

Pilha 1 – Contas a pagar
Pilha 2 – Contas pagas
Pilha 3 – Documentos pessoais
Pilha 4 – Documentos de carros, imóveis, seguros e bancos
Pilha 5 – Garantias e manuais
Pilha 6 – Cartas e lembranças
Pilha 7 – Trabalhos escolares

Pilha 8 – Cartões e guias
Pilha 9 – Lixo

Contas a pagar

Devem ser guardadas numa pasta sanfonada, na qual cada divisão corresponda a uma data, de 1 à 31. Dessa maneira, todas as contas que deverão ser pagas serão colocadas na pasta no dia de seu vencimento. Às segundas-feiras, lembre-se de checar se no sábado ou no domingo venceu alguma conta. Se preferir, no dia em que for armazenar a conta, consulte um calendário; se o vencimento cair no final de semana, já coloque no próximo dia útil. Para facilitar, pode colar na capa da pasta ou guardar na primeira divisão um desses calendários pequenos que têm todos os meses do ano.

Contas pagas

Devem ser guardadas numa pasta tipo registrador com plásticos. Crie uma etiqueta adesiva com o nome de cada conta, como, por exemplo, aluguel, condomínio, escola, telefônica, etc. Cole-as uma em cada plástico em ordem alfabética, para facilitar o armazenamento mensal. As contas devem ser guardadas com a mais recente em cima, pois isso fará com que você saiba sempre se está em dia com seus pagamentos. Todos os meses de janeiro, antes que comece a armazená-las, você tirará as contas pagas, colocará em um saco plástico, ou prenderá com clipes e guardará no arquivo morto. A seguir, há uma tabela que informa por quanto tempo cada conta paga deverá ser guardada, pois algumas devem ficar ainda com você por mais tempo que outras. Nessa pasta, você pode colocar um plástico para guardar as despesas, que podem ser livros, materiais extras, consertos de máquinas, viagens, roupas, etc. Isso poderá ser útil na hora de um planejamento. Verificando essas contas, você pode ter noção do quanto está gastando e o que pode fazer para enxugar gastos.

PRAZOS PARA GUARDAR DOCUMENTOS

Aluguel	Durante o período do contrato
Água, luz, telefone e gás	Por 2 anos
Canhoto de talão de cheque	Até todos os cheques serem compensados
Cheques cancelados	Por 5 anos
Contrato de compra de imóvel	Enquanto o imóvel for seu
Contratos	Até serem renovados
Cartão de crédito	Por 1 ano
Documentos pessoais	Para sempre
Declarações de imposto de renda	Por 5 anos
Documento de carro	Enquanto o carro for seu
Notas fiscais de valores altos	Enquanto o objeto for seu
Seguros	Até serem renovados

Documentos pessoais

Utilize uma pasta com elástico ou com plásticos. Cada membro da família deve ter sua pasta com seu nome, na qual ficam certidão de nascimento, RG, CPF, exames médicos importantes, passaporte, certidão de casamento, documentos referente ao trabalho, etc.

Documentos de carros, imóveis, seguros e bancos

Utilize um arquivo para pastas suspensas, faça etiquetas e separe uma pasta para cada assunto:

- **Carro**: documento, manual, garantia, seguro, IPVA, etc.
- **Imóvel**: escritura, contrato de locação, planta, seguro, etc.
- **Seguro saúde**: contrato, guia de médicos e hospitais, telefones úteis, etc.

- **Banco**: cheques cancelados, documentos referentes à poupança e aplicações, extratos, etc.
- **Parcelas pagas de imóvel, seguro saúde, financiamento e consórcio do carro**: essas contas devem ser guardadas nesse arquivo em vez de na pasta de contas pagas, porque imprevistos envolvendo esses assuntos normalmente geram desconforto e necessidade de agir rapidamente; portanto, é bom que possa se dirigir a um único lugar, e pegar a pasta que contém todas as informações necessárias, vencimento de contrato, valores, comprovantes de pagamentos, etc.

Pastas coloridas ajudam na organização de documentos

Garantias e manuais

Utilize uma pasta do tipo poliondas de pelo menos sete centímetros de espessura ou uma caixa, para que acomode bem todos os manuais. Guarde-os durante o tempo de vida útil dos produtos.

Cartas e lembranças

Se não for costume da família guardar cartas e recordações, e haja, portanto, um número bem pequeno de coisas, coloque-as na pasta de documentos pessoais de cada um. Caso contrário, utilize uma caixa. Escolha o tamanho de acordo com o volume de coisas. Lembre-se: guarde somente o que realmente traz alguma lembrança. Folhetos, panfletos e propagandas não são recordações e sim lixo!

Trabalhos escolares

Escolha um ou dois trabalhos por ano de cada filho. Você verá que quando seu filho se formar, você poderá organizar uma exposição com seus "trabalhinhos". Terá a vida dele contada por meio de desenhos que evoluem ao longo dos anos. Você consegue imaginar o que aconteceria com uma mãe que resolvesse guardar todos os trabalhos dos seus seis filhos, por exemplo? Precisaria de duas casas, uma para morar e outra para armazenar trabalhos escolares! Os boletins também não precisam ser guardados, pois no último ano receberão o "histórico escolar", que contém todas as notas. Utilize uma pasta do tipo poliondas no tamanho A3 para cada filho.

Cartões e guias

Separe somente os cartões que serão usados. Deixe junto o guia de ruas e de telefones somente se for costume utilizá-los. Atualmente, com a facilidade da internet, esses itens já foram descartados por muitas famílias. Utilize para guardá-los uma pasta com elástico ou uma pasta suspensa de seu arquivo em que estão o seguro e os documentos de carro e imóvel.

Lixo

Será composto de todos os papéis que não terão utilidade. Se constarem dados pessoais de alguém, devem ser picotados antes de serem descartados. E jogue tudo fora!

Onde guardar tudo

Agora que todos os seus papéis estão devidamente guardados, você deverá achar um lugar na sua casa para armazená-los todos juntos. Procure um armário ou uma prateleira, de preferência num escritório, na sala ou mesmo na cozinha. Escolha um local em que haja uma mesa por perto, para que você possa frequentemente manter esse trabalho em dia.

O material que indiquei como necessário no início deste capítulo deve ser sua "papelaria". Ele será útil para que mantenha tudo em ordem com agilidade, eficiência e qualidade. Portanto, deverá estar numa gaveta ou numa caixa, sempre junto com todos os seus documentos. Abuse dos organizadores de gaveta. Use sua criatividade. Meça sua gaveta e utilize até separador de talheres, mas deixe suas gavetas sempre em ordem, como se fossem ser fotografadas para uma revista.

Mantenha também próxima a essa mesa uma caixa centralizadora, em que todas as cartas, contas, folhetos e correspondências em geral que chegam à sua residência sejam colocadas. *Diariamente*, distribua as coisas em seus devidos lugares. Grifei o diariamente porque isso é de fundamental importância. Agora que já tem todos os seus papéis em ordem, não gastará mais que dez minutos para armazenar cada coisa em seu lugar. Aqui entra a importância de sua disciplina, para manter sua casa do jeito que sempre sonhou.

Se você mora em apartamento, pode manter pelo lado de fora da porta da sua casa uma caixa para correspondência. Atualmente, cada vez mais moradores estão adotando essa ideia, pois isso evita que as correspondências sejam jogadas por debaixo da porta e possam, por causa do vento ou da desatenção de alguém, ir parar embaixo de armários, geladeiras, etc., o que faz com que sejam encontradas, por vezes, tarde demais. Essas caixas parecem envelopes feitos de madeira, e são pregadas na porta pelo lado de fora.

Fotografias

Seja ou não amante de fotografias, não há lar que não tenha recordações de momentos especiais, amigos, aniversários, etc. Se houver crianças na casa, então, com certeza haverá fotos de cada sorrisinho. Realmente, é muito bom recordar dias felizes e pessoas que estimamos. Por isso, exija-se dedicação para colocar suas fotos em ordem.

Primeiramente, junte todas as fotos que estão espalhadas pela casa numa única caixa. Com tudo à sua frente, você vai observar e decidir como organizá-las. As fotos podem ser separadas por assunto (viagens, aniversários, filhos...) ou por data. Eu particularmente costumo separar por data, pois, nesse caso, você pode ter uma linha do tempo em que sua família será a protagonista.

Para que suas fotos sejam conservadas e você realmente curta relembrar momentos especiais, é preciso que elas estejam em álbuns, pois fotos soltas e espalhadas não encorajam ninguém a vê-las. Mas antes de sair comprando álbuns, é preciso selecionar todas as fotografias e então ver o que será preciso realmente comprar. Antes de tudo, tenha em mãos sacos plásticos, etiquetas adesivas, caneta e uma caixa com 25 centímetros de largura aproximadamente. Cole etiquetas adesivas no canto superior do plástico e escreva o ano inicial ou o assunto. Deixe os plásticos dentro da caixa e vá guardando as fotos nos plásticos dos anos correspondentes. Se as fotos já estiverem dentro de álbuns da loja em que foram reveladas, deixe em um primeiro momento assim. Depois tudo será arrumado.

Quando as fotos já estiverem distribuídas em plásticos por ano, pegue cada ano e separe-as por tamanho, para que possa ver que tamanhos de álbuns precisará. Lembre-se que os álbuns têm tamanho padrão: 10 x 15 cm, 13 x 18 cm, 15 x 21 cm, 20 x 25 cm ou álbuns para *scrapbooking*. Conte quantas fotos há de cada tamanho para cada ano. Marque em uma folha a quantidade de cada tamanho para cada ano, conforme tabela abaixo, para que, sabendo quantos plásticos há em cada álbum, você saiba quantos comprar.

ANO	10 x 15	13 x 18	15 x 21	20 x 25

Atualmente, há uma variedade enorme de álbuns, com diferentes acabamentos, estilos e preços. Se você tem um número muito grande de negativos, vale a pena investir em álbuns próprios para negativos. Caso contrário, armazene-os numa caixa, tipo caixa de sapato. Se for possível, arrume uma estante ou um armário na sua sala para guardar todos os seus álbuns. Pode ser agradável chegar uma visita em casa e, juntos, recordarem momentos agradáveis. Ou então coloque em uma caixa, um baú. O importante é que estejam todas juntas e fáceis de ser localizadas, pois assim elas poderão cumprir sua função, que é recordar. Uma dica importante para conservar as fotos é mantê-las num local seco e arejado: se estiverem em gavetas ou caixas, mantenha junto produtos que ajudam a retirar a umidade, como lajotas de cedro, sílica gel, giz branco, etc.

Fotos digitais

É importante que essas fotos fiquem em CDs ou em *pen drives*, para não correr o risco de perdê-las caso haja algum problema em seu computador. Mas lembre-se que todas as formas de armazenamento de dados digitais têm prazo de validade; portanto, fique atento para fazer novas cópias no tempo devido.

Tenha um porta-CDs somente para suas fotos e escreva em cada CD o período correspondente. O ideal é que estejam organizadas por data. Por exemplo, um CD por ano ou para cada seis meses, dependendo do número de imagens que há. Ao descarregar sua máquina, crie automaticamente pastas por dia ou por mês, sempre colocando o ano na frente, para que fique mais rápido na hora de localizá-las, por exemplo: 2009-05-28. Existe também a possibilidade de criar uma conta em sites específicos para armazenar fotos digitais, mas ainda assim o ideal é que se tenha *backups* de suas imagens.

Capítulo 10

ONDE ENCONTRAR

Álbuns para fotos

Catálogo da AVON
Grandes redes de supermercado
Lojas Americanas (www.americanas.com.br)
Lojas Kalunga (www.kalunga.com.br)

Arquivo maleta

Papelaria com materiais para escritório
Lojas Americanas (www.americanas.com.br)
Peg & Faça (www.pegfaca.com.br)
Site Submarino (www.submarino.com.br)

Arquivo morto

Papelaria com materiais para escritório
Lojas Americanas (www.americanas.com.br)
Site Submarino (www.submarino.com.br)

Cachepôs de alumínio

Grandes redes de supermercado
Peg & Faça (www.pegfaca.com.br)
Uemura Flores e Plantas
(www.uemurafloreseplantas.com.br)

Caixa para correspondência

Lojas de artesanato
Lojas de materiais para escritório
Lojas Americanas (www.americanas.com.br)
Etna (www.etna.com.br)
Site Submarino (www.submarino.com.br)

Caixas diversas

Catálogo da AVON
Grandes redes de supermercado
Lojas Americanas (www.americanas.com.br)
Lojas Kalunga (www.kalunga.com.br)
Peg & Faça (www.pegfaca.com.br)
Leroy Merlin (www.leroymerlin.com.br)
Site Submarino (www.submarino.com.br)

Capas para vestidos e ternos

Catálogo da AVON
Peg & Faça (www.pegfaca.com.br)
Etna (www.etna.com.br)

Cestas

Grandes redes de supermercado
Etna (www.etna.com.br)
Peg & Faça (www.pegfaca.com.br)
Site Submarino (www.submarino.com.br)

Cestos dobráveis mil e uma utilidades
Grandes redes de supermercado
Lojas de R$ 1,99
Site Submarino (www.submarino.com.br)

Etiquetas

Papelarias
Lojas Americanas (www.americanas.com.br)
Lojas Kalunga (www.kalunga.com.br)

Incensos

Lojas de produtos indianos
Lojas Kalunga (www.kalunga.com.br)
Site Submarino (www.submarino.com.br)

Odorizador de ambiente/Sachê

Etna (www.etna.com.br)
Peg & Faça (www.pegfaca.com.br)
Site Submarino (www.submarino.com.br)

Organizador de gaveta

Catálogo da AVON
Grandes redes de supermercado
Lojas de R$ 1,99
Etna (www.etna.com.br)
Site Submarino (www.submarino.com.br)

Pasta poliondas

Papelarias
Grandes redes de supermercados
Lojas Americanas (www.americanas.com.br)
Lojas Kalunga (www.kalunga.com.br)

Pasta registrador ou A/Z

Papelarias com materiais para escritório
Lojas Americanas (www.americanas.com.br)
Lojas Kalunga (www.kalunga.com.br)
Site Submarino (www.submarino.com.br)

Pasta sanfonada

Grandes redes de supermercado
Papelarias
Lojas Americanas (www.americanas.com.br)
Lojas Kalunga (www.kalunga.com.br)

Plantas

Grandes redes de supermercado
Lojas específicas de venda de plantas
Uemura Flores e Plantas (www.uemurafloreseplantas.com.br)

Porta chaves/suporte para roupas e bolsas

Lojas de artesanato
Peg & Faça (www.pegfaca.com.br)

Porta-controle-remoto

Lojas de artesanato
Lojas Kalunga (www.kalunga.com.br)
Peg & Faça (www.pegfaca.com.br)
Site Submarino (www.submarino.com.br)

Porta edredom

Catálogo da AVON
Peg & Faça (www.pegfaca.com.br)

Porta revista

Lojas de decoração de casas
Etna (www.etna.com.br)
Leroy Merlin (www.leroymerlin.com.br)
Site Submarino (www.submarino.com.br)